사고력 수학 전문가가 만든

원리셈

5까지의 수

지은이의 말

수학은 원리로부터

수학은 구체물의 관계를 숫자와 기호의 약속으로 나타내는 추상적인 학문입니다. 이 점이 아이들이 수학을 어려워하는 가장 큰 이유입니다. 이러한 수학은 제대로 된 이해를 동반할 때 비로소 힘을 발휘할 수 있습니다. 수학은 어느 단계에서나 원리가 가장 중요합니다.

수학 교육의 변화

답을 내는 방법만 알아도 되는 수학 교육의 시대는 지나고 있습니다. 연산도 한 가지 방법만 반복 연습하기 보다 다양한 풀이 방법이 중요합니다. 교과서는 왜 그렇게 해야 하는지 가르쳐 주고 다양한 방법을 생각하도록 하지만, 학생들은 단순하게 반복되는 연습에 원리는 잊어버리고 기계적으로 답을 내다보니 응용된 내용의 이해가 부족합니다.

연산 학습은 꾸준히

유초등 학습 단계에 따라 4권~6권의 구성으로 매일 10분씩 꾸준히 공부할 수 있습니다. 원리와 다양한 방법의 학습은 그림과 함께 재미있게, 연습은 다양하게 진행하되 마무리는 집중하여 진행하도록 했습니다. 부담 없는 하루 학습량으로 꾸준히 공부하다 보면 어느새 연산 실력이 부쩍 늘어난 것을 알 수 있습니다.

개정판 원리셈은

동영상 강의 확대/초등 고학년 원리 학습 과정 강화 등으로 원리와 개념, 계산 방법을 더 쉽게 이해할 수 있도록 하고, 연습을 강화하여 학습의 완성도를 더했습니다.

학부모님들의 연산 학습에 대한 고민이 원리셈으로 해결되었으면 하는 바람입니다.

지은이 천종현

원리셈의 특징

✓ 원리셈의 학습 구성

한 권의 책은 매일 10분 / 매주 5일 / 4주 학습

✓ 원리셈의 시나브로 강해지는 학습 알고리즘

키즈 원리셈은

| 01 세분화된 원리 학습 | 02 다양한 유형의 연습 | 03 충분한 연습 | 04 성취도 확인 |

시작은 원리의 이해로부터, 마무리는 충분한 연습과 성취도 확인까지

✓ 체계적인 학습 구성

쉽게 이해하고 스스로 공부!
실수가 많은 부분은 별도로 확인하고 연습!
주제에 따라 실전을 위한 확장적 사고가 필요한 내용까지!
원리로 시작되는 단계별 학습으로 곱셈구구마저 저절로 외워진다고 느끼도록!

원리셈 전체 단계

 키즈 원리셈

 초등 원리셈

키즈 원리셈의 단계별 학습 목표

초등학교 입학 준비는 키즈 원리셈으로!!

키즈 원리셈 단계를 고를 때는 아이의 배경지식에 따라 아래의 학습 목표를 참고하세요.

● 5·6세 단계

수와 연산을 처음 접하는 아이들을 위한 단계
수를 익히고, 덧셈, 뺄셈을 이해
덧셈, 뺄셈 기호는 나오지 않지만, 덧셈, 뺄셈의 상황을 그림으로 제시
필기를 최소화 / 붙임 딱지 이용
매주 마지막 5일차에는 재미있게 사고력 키우기 "사고력 팡팡 "

● 6·7세 단계

10까지의 수를 알지만 덧셈, 뺄셈을 처음 하는 아이들을 위한 단계
1에서 20까지의 수를 익히면서 더하기 빼기 1, 2, 3
수를 똑바로 세면 덧셈, 거꾸로 세면 뺄셈이라는 것을 이해하고 연산에 이용
수 세기를 먼저 배운 후, 같은 개념을 덧셈, 뺄셈에 적용
10이 넘어가는 덧셈도 받아올림을 하는 것이 아니라 수의 순서로 이해

● 7·8세 단계

한 자리 덧셈, 뺄셈의 개념은 있지만 연습이 필요한 아이들을 위한 단계
초등 1학년 1학기 교과에 해당하는 내용
가르기와 모으기를 충분하게 연습하면서 속도와 정확성을 올릴 수 있는 단계
1권~4권은 가르기와 모으기를 연습한 후 덧셈, 뺄셈의 개념으로 확장하여 연습
5권은 받아올림, 6권은 받아내림의 원리를 아주 쉽게 풀어놓아서 받아올림과 받아내림을 처음 배우는 아이들에게 강추!!

5·6세 단계 구성과 특징

수를 처음 공부하는 단계입니다. 붙임 딱지를 붙이고, 그림을 보고 구체물을 세면서 놀이하듯 수를 익힙니다.
총 6권 중 2권까지는 숫자를 연필로 쓰지 않고 붙임 딱지를 이용하고 3권부터는 숫자를 쓰도록 합니다.

원리

그림을 보며 붙임 딱지를 붙이거나 ○를 그리면서 자연스럽게 수를 셀 수 있도록 하였습니다.

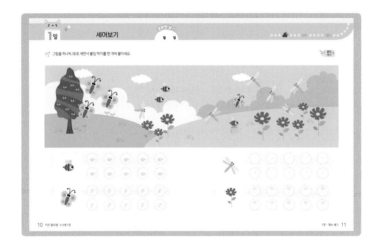

연습

손가락 세기, 엘리베이터의 버튼 붙이기 등 아이가 생활 속에서 쉽게 떠올릴 수 있는 소재들을 활용하여 다양하게 공부합니다.

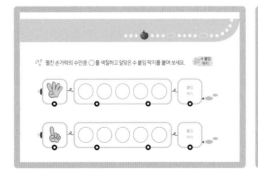

사고력 팡팡

매주의 마지막 5일차는 재미있게 사고력을 키울 수 있는 사고력 팡팡을 진행합니다. 수를 처음 배우는 단계이므로 어려운 내용보다는 직관적이고 재미있게 해결할 수 있도록 구성하였습니다.

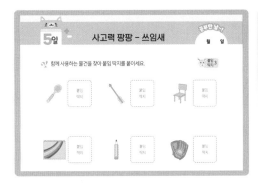

붙임 딱지

수를 처음 배우는 아이들이 붙임 딱지를 붙이면서 재미있게 수를 익힐 수 있도록 하였습니다.

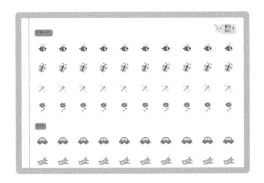

성취도 평가

개념의 이해와 연산의 수행에 부족한 부분은 없는지 성취도 평가를 통해 확인합니다.

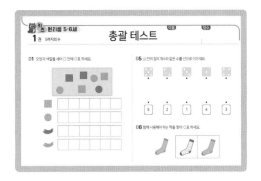

원리셈 100% 활용하기

☑ 책의 사이사이에 학생의 학습을 돕기 위한 저자의 내용을 잘 이용하세요.

📖 단원의 학습 내용과 방향

한 주차가 시작되는 쪽의 아래에 그 단원의 학습 내용과 어떤 방향으로 공부하는지를 설명해 놓았습니다.
학부모님이나 학생이 단원을 시작하기 전에 가볍게 읽어 보고 공부하도록 해 주세요.

📚 이해를 돕는 저자의 동영상 강의

공부를 시작하기 전에 표지의 QR코드를 확인하세요. 책의 학습 흐름과 목표, 그리고 그동안 원리셈을 먼저 공부한 아이들이 겪은 어려움에 대한 대처 방안 등을 설명해 줍니다.

학습 동영상

📒 학습 Tip 간략한 도움글은 각 쪽의 아래에 있습니다.

✍️ 천종현수학연구소 네이버 카페와 홈페이지를 활용하세요.

카페와 홈페이지에는 추가 문제 자료가 있고, 연산 외에서 수학 학습에 어려움을 상담 받을 수 있습니다.

네이버에서 천종현수학연구소를 검색하세요.

주차 1

개수 세기

수를 배우기 전에 일대일 대응으로 개수를 셀 수 있는 것이 학습 목표입니다. 처음에는 붙임 딱지와 ○표로 세고, 마지막에는 손가락으로 셉니다. 5일차 사고력 팡팡에서는 속성에 따라 어울리는 것을 짝짓는 문제를 공부합니다.

세어 보기

그림을 하나씩 / 표로 세면서 붙임 딱지를 한 개씩 붙이세요.

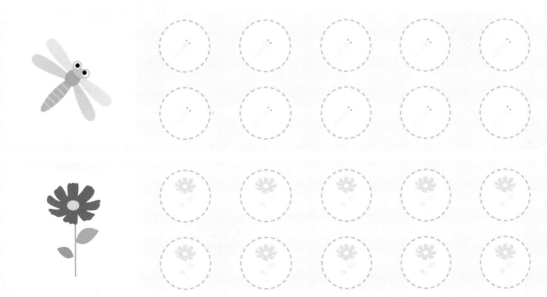

동물을 하나씩 / 표로 세면서 수만큼 ◯를 그리세요.

○만큼 붙임 딱지 붙이기

○의 수만큼 장난감 붙임 딱지를 붙이세요.   붙임 딱지 1

○의 수만큼 공 붙임 딱지를 붙이세요.   붙임 딱지 1

◯의 수만큼 연필 붙임 딱지를 붙이세요.

◯의 수만큼 책 붙임 딱지를 붙이세요.

○의 수만큼 과일 붙임 딱지를 붙이세요.

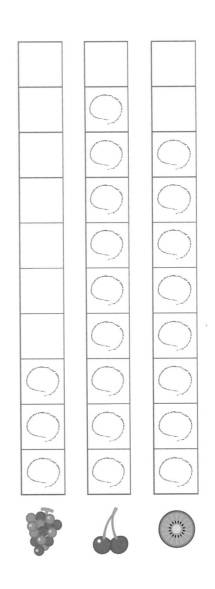

분류하여 세기

옷을 3가지로 나누어 세어 ☐ 안에 ○표 하세요.

자동차와 비행기를 모았습니다.

★ 자동차와 비행기를 세어 □ 안에 ○표 하세요.

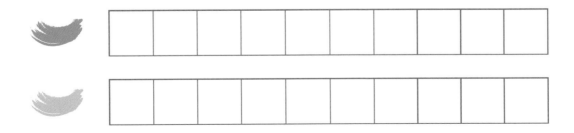

★ 색깔을 세어 □ 안에 ○표 하세요.

장난감 바구니가 있습니다.

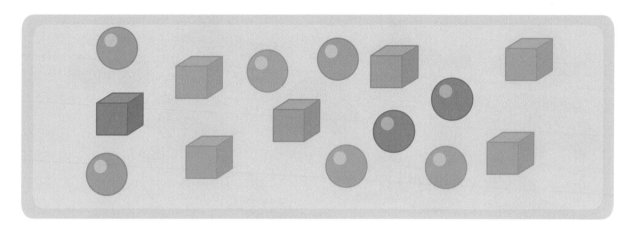

★ 모양을 세어 □ 안에 ◯표 하세요.

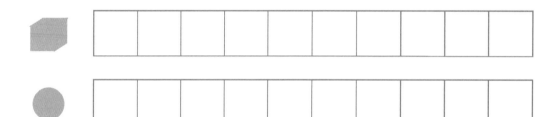

★ 색깔을 세어 □ 안에 ◯표 하세요.

사과의 개수를 손가락으로 세어 손가락 붙임 딱지를 붙이세요.

붙임
딱지

붙임
딱지

붙임
딱지

붙임
딱지

붙임
딱지

손가락을 펼쳐서 세는 방법과 접어서 세는 방법을 모두 가르쳐 주고 이 단원에서는 손가락 조작이 미숙할 때이므로
접어서 세도록 지도해 주세요. 2주차부터 그림을 보고 손가락을 세는 내용은 펼친 손가락을 셉니다.

물건을 손가락으로 세어 손가락 붙임 딱지를 붙이세요.

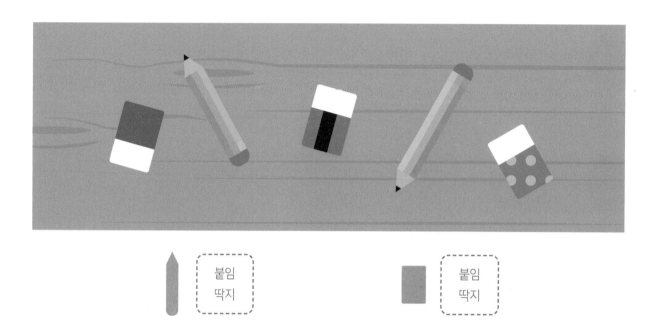

| | 붙임
딱지 | | 붙임
딱지 |

동물을 손가락으로 세어 손가락 붙임 딱지를 붙이세요.

 붙임
딱지   붙임
딱지

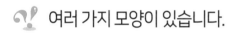 여러 가지 모양이 있습니다.

⭐ 모양을 세어 개수만큼 손가락 붙임 딱지를 붙이세요.

⭐ 색깔을 세어 개수만큼 손가락 붙임 딱지를 붙이세요.

빨랫줄에 걸린 빨래를 보고 서로 어울리는 옷끼리 선으로 이으세요.

잔 받침 위에 짝이 되는 잔 붙임 딱지를 찾아서 붙이세요.

붙임
딱지 **2**

어울리는 뚜껑 붙임 딱지를 찾아서 붙이세요.

붙임
딱지 **2**

   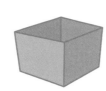      

짝이 되는 양말을 선으로 이으세요.

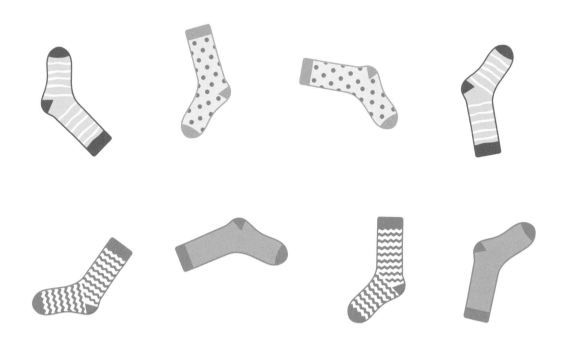

함께 사용해야 하는 짝을 찾아 ◯표 하세요.

물건 붙임 딱지를 어울리는 장소에 붙이세요.

2
주차

하나, 둘, 셋 세기

학습 목표는 1에서 5까지의 숫자를 알고, 하나, 둘, 셋, 넷, 다섯으로 수를 셀 수 있도록 하는 것입니다. 다양한 문제를 다루면서 하나, 둘, 셋, 넷, 다섯으로 말하여 답을 찾도록 지도해 주세요.

🐱 1을 알아보고, 1인 것에 ◯표 하세요.

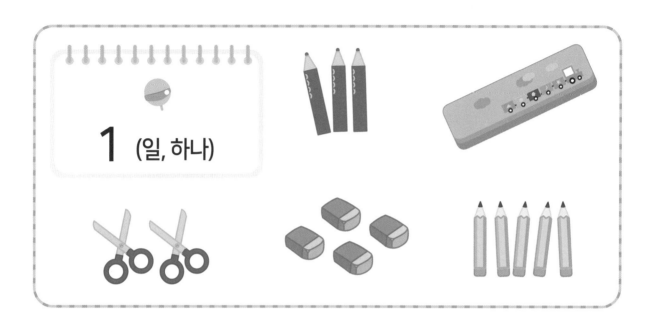

1 (일, 하나)

🐰 2를 알아보고, 2인 것에 ◯표 하세요.

2 (이, 둘)

3을 알아보고, 3인 것에 ◯표 하세요.

4를 알아보고, 4인 것에 ◯표 하세요.

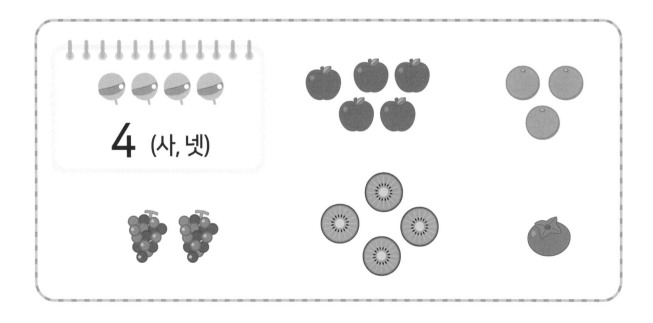

🌱 5를 알아보고, 5인 것에 ◯표 하세요.

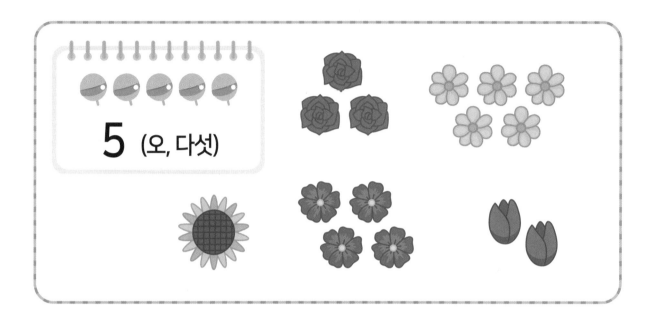

🌱 수와 그림을 알맞게 선으로 이으세요.

하나, 둘, 셋

 하나, 둘, 셋, 넷, 다섯으로 세면서 수만큼 붙임 딱지를 붙이세요. 붙임 딱지 3

구슬을 하나, 둘, 셋, 넷, 다섯으로 세어 같은 수를 선으로 이으세요.

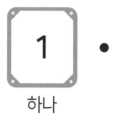

1
하나

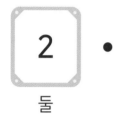

2
둘

3
셋

4
넷

5
다섯

과일을 하나, 둘, 셋, 넷, 다섯으로 세어 알맞은 수에 ◯표 하세요.

| 1 | 2 | 3 | 4 | 5 |

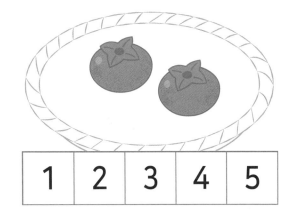

| 1 | 2 | 3 | 4 | 5 |

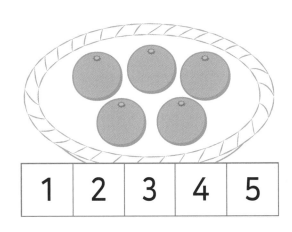

| 1 | 2 | 3 | 4 | 5 |

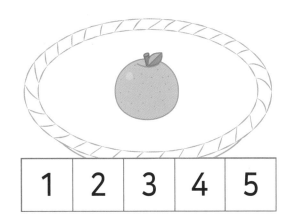

| 1 | 2 | 3 | 4 | 5 |

| 1 | 2 | 3 | 4 | 5 |

| 1 | 2 | 3 | 4 | 5 |

동물을 하나, 둘, 셋, 넷, 다섯으로 세어 기차에 알맞은 붙임 딱지를 붙이세요.

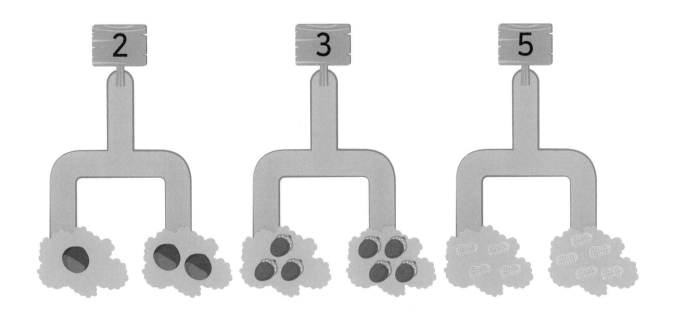

같은 수를 선으로 이으세요.

책을 세어 수 붙임 딱지를 붙이세요.

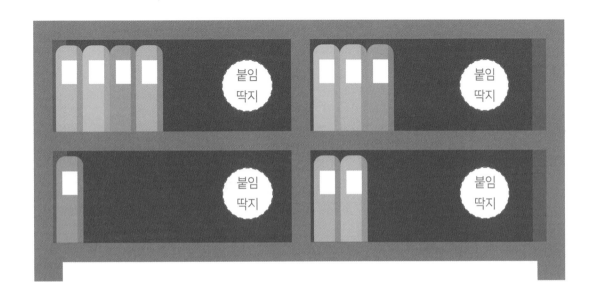

같은 수를 나타낸 그림에 ◯표 하세요.

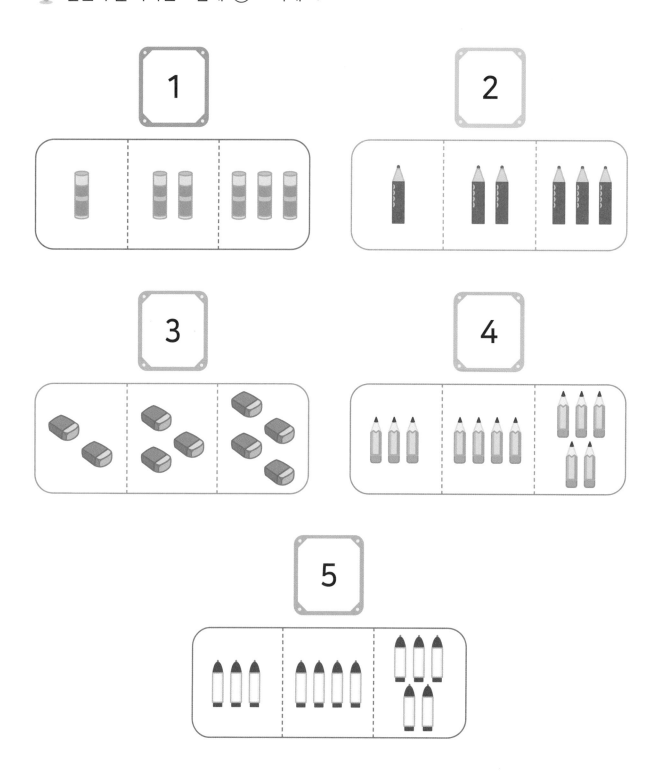

하나, 둘, 셋 익히기 2

수만큼 그림에 ◯표 하세요.

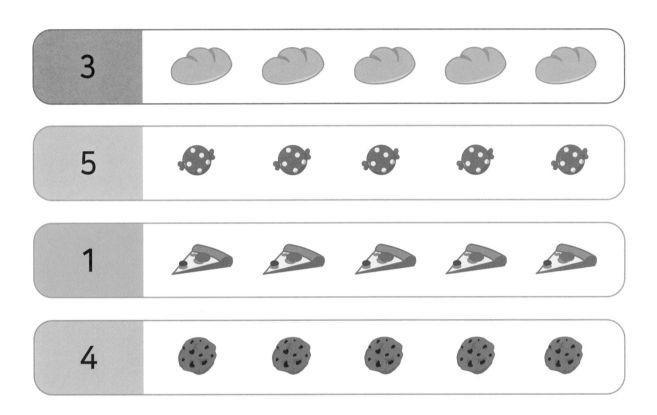

알맞은 수에 ◯표 하세요.

개수가 3인 칸에 ◯표 하세요.

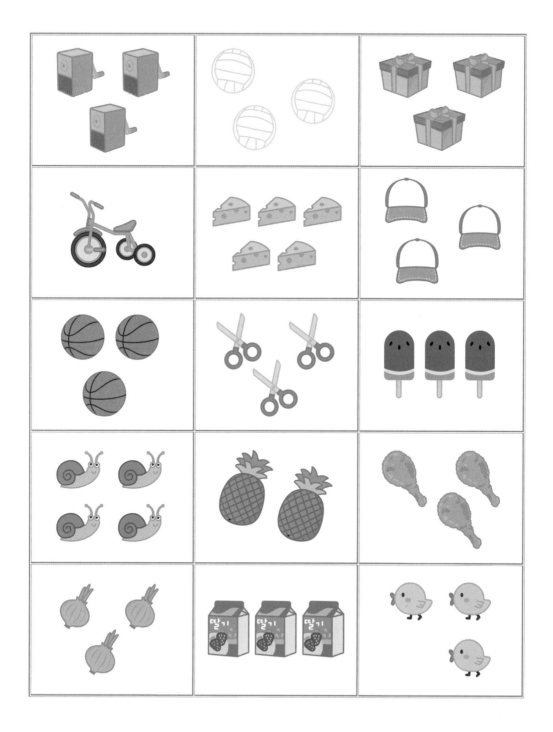

펼친 손가락의 수만큼 ◯를 색칠하고 알맞은 수 붙임 딱지를 붙여 보세요.

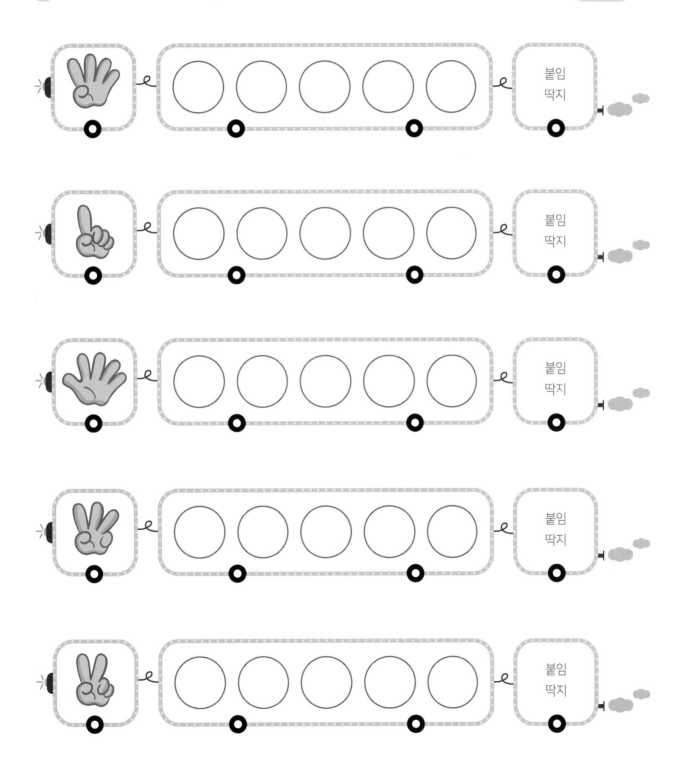

 함께 사용하는 물건을 찾아 붙임 딱지를 붙이세요.   붙임 딱지 3

    붙임 딱지

    붙임 딱지

    붙임 딱지

    붙임 딱지

    붙임 딱지

    붙임 딱지

    붙임 딱지

    붙임 딱지

    붙임 딱지

    붙임 딱지

    붙임 딱지

    붙임 딱지

대신 사용할 수 있는 물건에 ◯표 하세요.

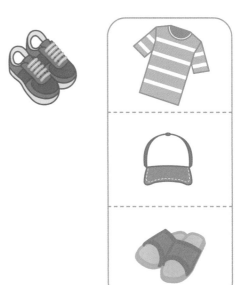

관계 있는 것을 선으로 이으세요.

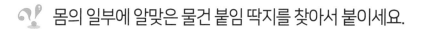 몸의 일부에 알맞은 물건 붙임 딱지를 찾아서 붙이세요.

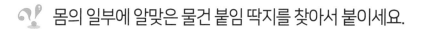 관계있는 것을 선으로 이으세요.

 • •

 • •

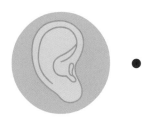 • •

일, 이, 삼과 첫째, 둘째, 셋째

일, 이, 삼으로 읽기와 순서를 나타내는 첫째, 둘째, 셋째를 공부합니다. 1일차, 2일차는 일, 이, 삼, 사, 오로 말하여 답을 찾도록 지도해 주세요. 5일차 사고력 팡팡은 그림의 공통점을 말로 이야기해 보는 내용입니다.

일, 이, 삼

 일, 이, 삼, 사, 오로 세면서 수만큼 붙임 딱지를 붙이세요.

 붙임 딱지 3

수를 읽고 알맞은 수 붙임 딱지와 그림 붙임 딱지를 붙이세요.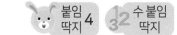

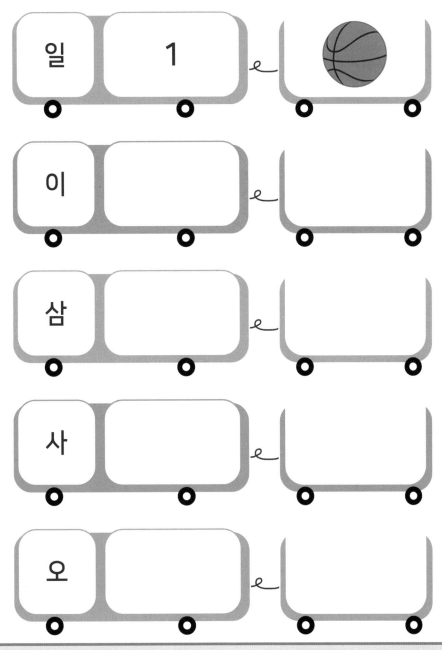

일	1
이	
삼	
사	
오	

엘리베이터 버튼에 알맞은 수 붙임 딱지를 붙이세요.

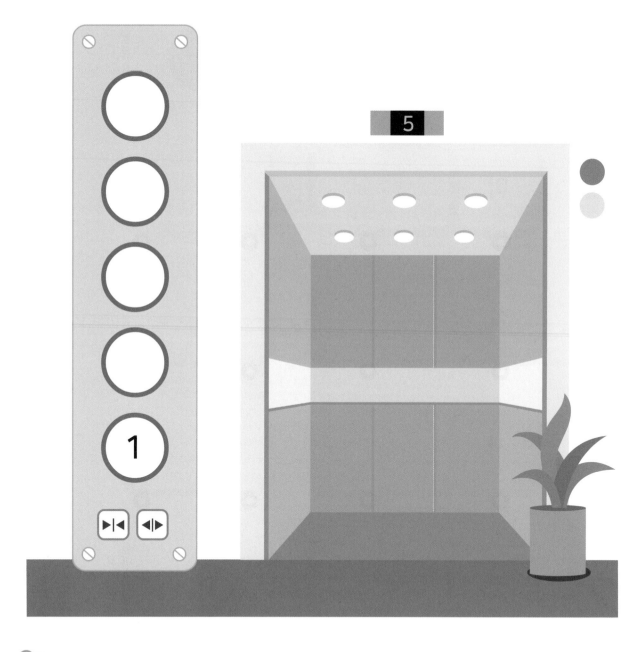

 일층, 이층, 삼층, 사층, 오층으로 읽어 주면서 앞에서 배운 일, 이, 삼, 사, 오와 같다는 것을 가르쳐 줍니다.

44 키즈 원리셈 - 5·6세 1권

일, 이, 삼 익히기

 5명의 어린이가 달리기를 합니다. 순위에 알맞게 붙임 딱지를 붙이세요.

붙임 딱지 4

1등 : 붙임 딱지   2등 : 붙임 딱지

3등 : 붙임 딱지   4등 : 붙임 딱지

5등 : 붙임 딱지

1등 : 붙임 딱지   2등 : 붙임 딱지

3등 : 붙임 딱지   4등 : 붙임 딱지

5등 : 붙임 딱지

Tip
일등, 이등, 삼등, 사등, 오등으로 읽어 주면서 앞에서 배운 일, 이, 삼, 사, 오와 같다는 것을 가르쳐 줍니다.

구슬을 일, 이, 삼, 사, 오로 세어 알맞은 수에 ◯표 하세요.

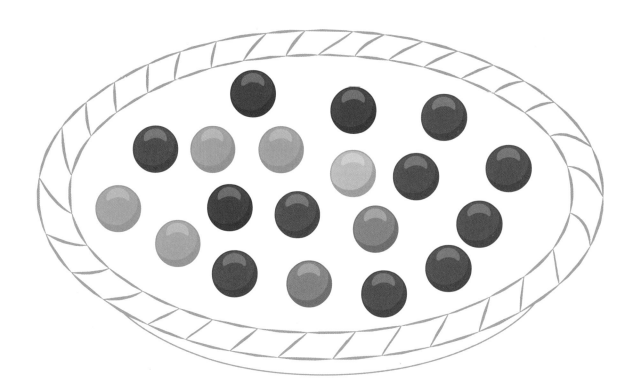

● 　1　2　3　4　5　　　　◯　1　2　3　4　5

● 　1　2　3　4　5　　　　●　1　2　3　4　5

● 　1　2　3　4　5　　　　●　1　2　3　4　5

■ 안의 점을 일, 이, 삼, 사, 오로 세어서 같은 수끼리 선으로 이으세요.

첫째, 둘째, 셋째

순서대로 줄을 서 있을 때는 다음과 같이 말합니다.

1	2	3	4	5
첫째	둘째	셋째	넷째	다섯째

순서에 알맞은 수를 색칠하세요.

첫째	1	2	3	4	5
둘째	1	2	3	4	5
셋째	1	2	3	4	5
넷째	1	2	3	4	5
다섯째	1	2	3	4	5

들고 있는 수의 순서대로 붙임 딱지를 붙이세요.

붙임 딱지	붙임 딱지	붙임 딱지	붙임 딱지	붙임 딱지
첫째(1)	둘째(2)	셋째(3)	넷째(4)	다섯째(5)

붙임 딱지	붙임 딱지	붙임 딱지	붙임 딱지	붙임 딱지
첫째(1)	둘째(2)	셋째(3)	넷째(4)	다섯째(5)

화살표 방향으로 순서를 세어 색칠하세요.

넷째

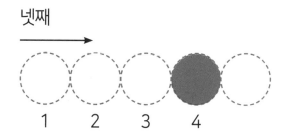

1   2   3   4

셋째

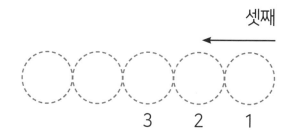

3   2   1

둘째

다섯째

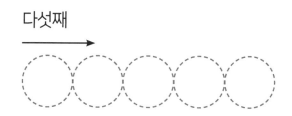

첫째

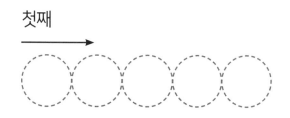

넷째

첫째, 둘째, 셋째 익히기

💡 순서에 알맞은 붙임 딱지를 붙이세요.

붙임
딱지 4

붙임 딱지	붙임 딱지	붙임 딱지	붙임 딱지	붙임 딱지
첫째(1)	둘째(2)	셋째(3)	넷째(4)	다섯째(5)

붙임 딱지	붙임 딱지	붙임 딱지	붙임 딱지	붙임 딱지
다섯째(5)	넷째(4)	첫째(1)	셋째(3)	둘째(2)

순서에 알맞은 수 붙임 딱지를 붙이세요.

같은 수를 선으로 이으세요.

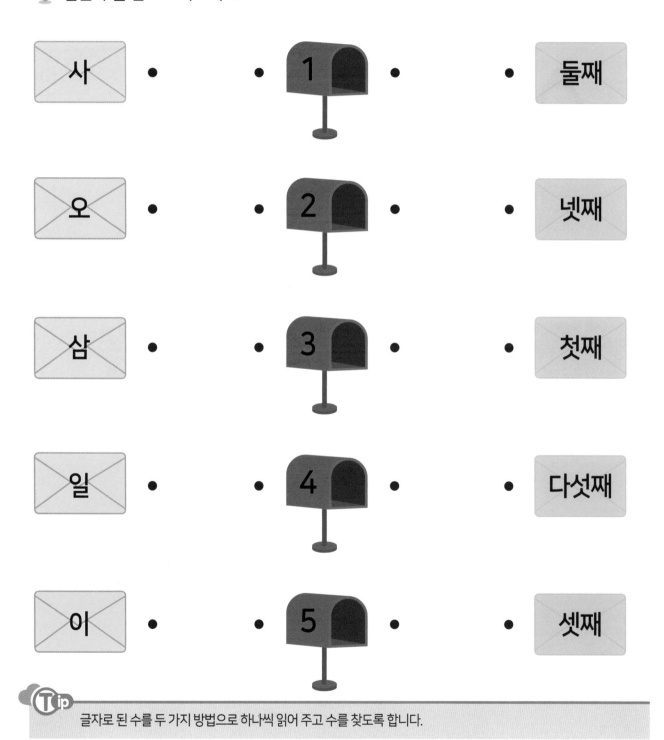

사	•	• 1 •	• 둘째
오	•	• 2 •	• 넷째
삼	•	• 3 •	• 첫째
일	•	• 4 •	• 다섯째
이	•	• 5 •	• 셋째

Tip
글자로 된 수를 두 가지 방법으로 하나씩 읽어 주고 수를 찾도록 합니다.

5일 사고력 팡팡 – 공통점

공통점이 있는 것끼리 모았습니다. 공통점을 말해 보세요.

다음 그림의 공통점을 말해 보세요.

위의 그림을 둘로 나누었어요. 어떻게 나누었는지 말해 보세요.

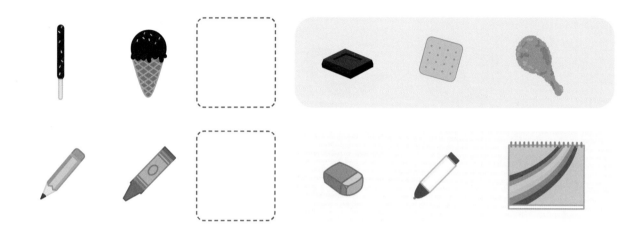

빈 곳에 어울리는 것을 고르세요.

□ 안의 그림 중 어울리지 않는 것 하나에 X표 하세요.

5까지 수의 순서

1에서 5까지의 수의 순서를 재미있게 공부할 수 있는 문제들로 공부합니다.
5일차 사고력 팡팡에서는 어색하거나 이상한 그림을 찾아봅니다.

 여러 가지 붙임 딱지를 순서대로 붙이세요.

붙임
딱지 4

🔎 1에서 출발하여 수를 순서대로 선으로 이으세요.

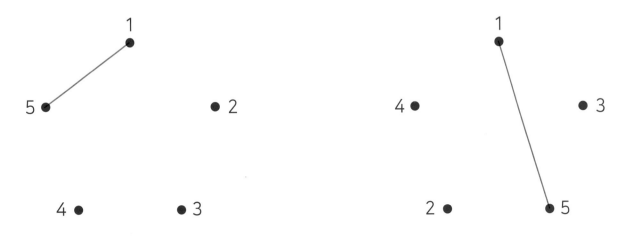

🔎 1에서 5까지 수를 잇는 선을 그려서 그림을 완성하세요.

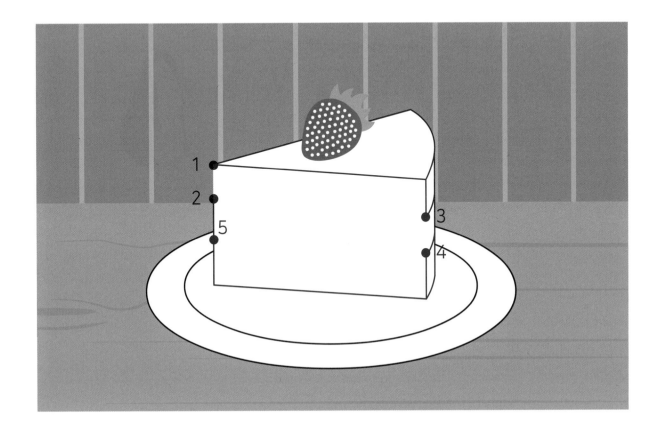

1에서 5까지 수를 잇는 선을 그려서 그림을 완성하세요.

화살표에서 시작하여 1에서 5까지의 수를 순서대로 잇는 선을 그리세요.

1	2	1
5	3	4
4	2	5

1	3	2
2	3	1
5	4	2

4	5	4
1	2	3
3	4	5

3	4	3
1	2	5
4	3	4

화살표에서 시작하여 5에서 1까지의 수를 거꾸로 잇는 선을 그리세요.

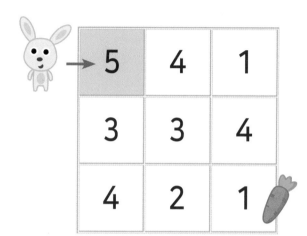

5	2	1
4	3	5
2	4	1

5	4	1
3	3	4
4	2	1

4	3	3
5	2	4
3	1	3

2	3	2
5	4	1
3	2	3

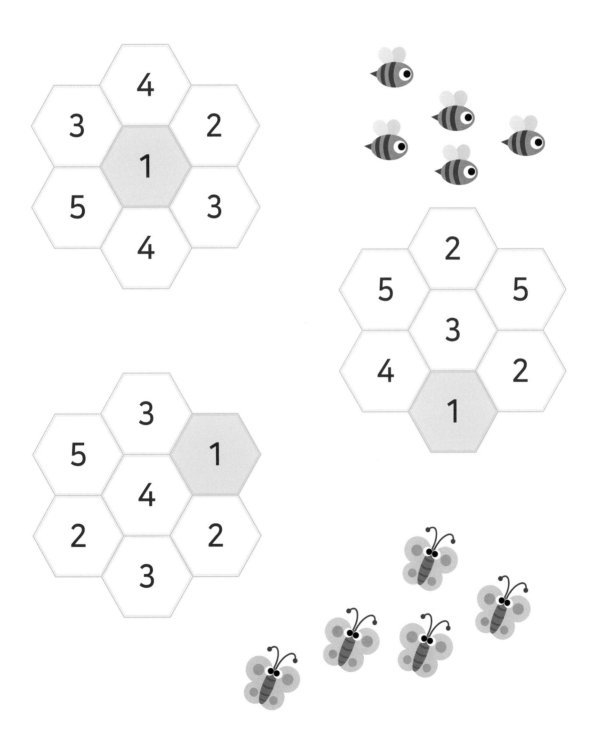

1에서 5까지의 수를 순서대로 잇는 선을 그리세요.

사라진 수

빈 곳에 알맞은 수 붙임 딱지를 붙이세요.

수 붙임 딱지

1	붙임 딱지	3	붙임 딱지	5

붙임 딱지	2	붙임 딱지	4	5

1	붙임 딱지	3	4	붙임 딱지

붙임 딱지	4	붙임 딱지	2	1

5	붙임 딱지	3	붙임 딱지	1

붙임 딱지	붙임 딱지	3	2	1

빈 곳에 알맞은 수 붙임 딱지를 붙이세요.

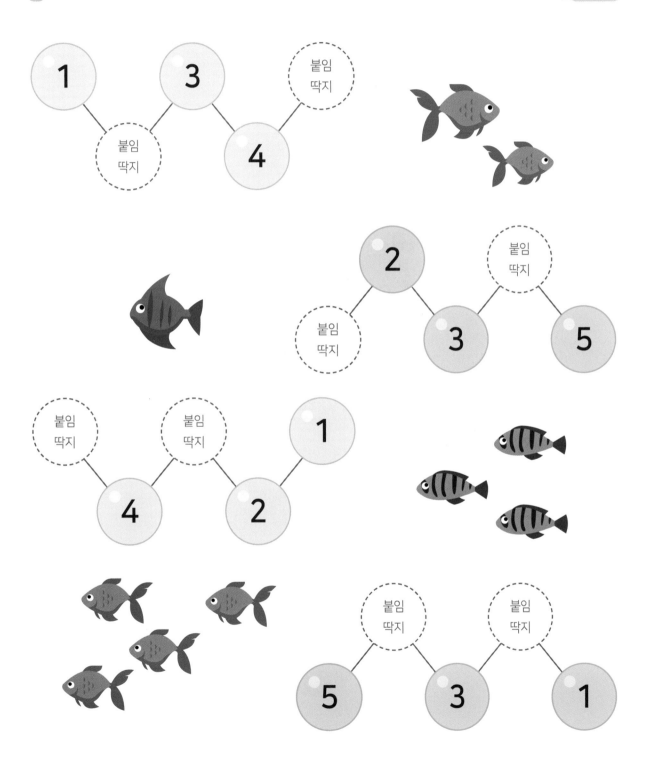

빈 곳에 알맞은 수 붙임 딱지를 붙이세요.

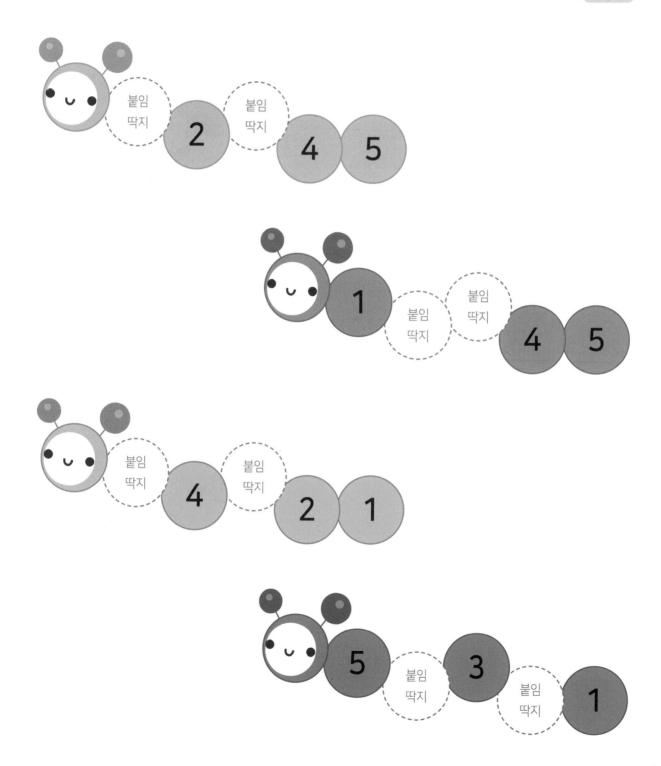

다음 수, 사이 수, 이전 수

빈 곳에 알맞은 수에 ◯표 하세요.

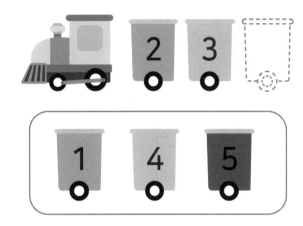

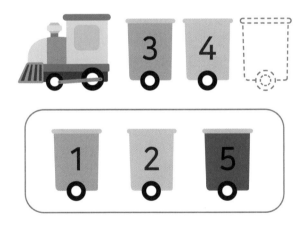

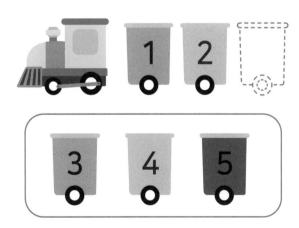

빈 곳에 알맞은 수에 ◯표 하세요.

빈 곳에 알맞은 수에 ◯표 하세요.

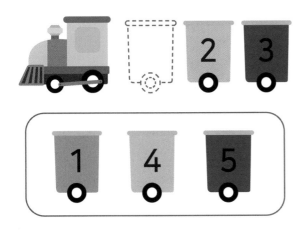

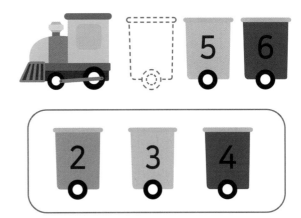

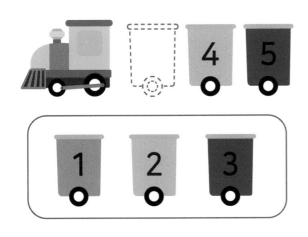

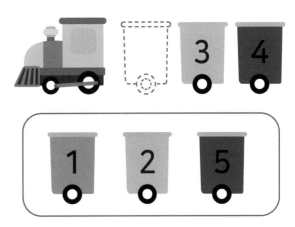

5일 사고력 팡팡 - 이상한 그림

두 그림의 다른 부분을 3개 찾아 ◯표 하세요.

그림에서 이상한 부분을 말해 보세요.

그림에서 이상한 부분을 3군데 찾아 ◯표 하세요.

왼쪽 그림에서 빠진 것을 찾아 선으로 이으세요.

P. 10 ~ 11

P. 13

P. 14

P. 15

P. 19 ~ 21

P. 22

    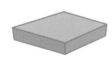

P. 24

P. 29

P. 38

P. 40   P. 42

P.43

P.45

P.49

P.51

P.58

2   3   4   5

둘   셋   넷   다섯   이   삼

사   오   둘째   셋째   넷째   다섯째

1 1 1 1 1 1 1 1 1 1

1 1 1 1 1 1 1 1 1 1

2 2 2 2 2 2 2 2 2 2

2 2 2 2 2 2 2 2 2 2

3 3 3 3 3 3 3 3 3 3

3 3 3 3 3 3 3 3 3 3

4 4 4 4 4 4 4 4 4 4

4 4 4 4 4 4 4 4 4 4

5 5 5 5 5 5 5 5 5 5

5 5 5 5 5 5 5 5 5 5

자르는 선

우리 아이 첫 수학은
유자수 가 답이다

보드마카와
붙임 딱지로
즐겁게

내 아이에게
딱 맞는
엄마표 문제

재미있게
스스로
반복학습

방송에서 화제가 된 바로 그 교재!

생각과 자신감이 커지는 유아 자신감 수학!

방송 영상

유자수 소개 영상

실력도 탑! 재미도 탑!
사고력 수학의 으뜸!
TOP 사고력 수학

6~7세   7~8세   초1~2학년   초2~3학년

알쓸신탑 :
알아두면 쓸데있는
신비한
탑사고력 수학!

TOP사고력 3가지 Check !

직접해봐! 직접 체험하면서 할 수 있는 풍부한 활동자료

의도가 뭘까? 더욱 더 친절한 해설 예비활동 / 학부모 가이드

어려워! 어려울 때 친절한 저자 직강 QR 코드로 고고!

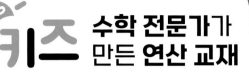

|단계별 유아 원리 연산|

하루 10분

수학 전문가가 만든 연산 교재

키즈

원리셈

천종현 지음

정답

5·6세 | 1권 | 5까지의 수

천종현수학연구소

총괄 테스트 정답

총괄 테스트

키즈 원리셈 5·6세
1권 5까지의 수

이름 **점수**

01 모양과 색깔을 세어 □ 안에 ○표 하세요.

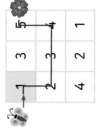

02 수와 그림을 알맞게 선으로 이으세요.

03 수만큼 그림에 ○표 하세요.

04 알맞은 수에 ○표 하세요.

05 점의 개수와 같은 수를 선으로 이으세요.

06 함께 사용해야 하는 짝을 찾아 ○표 하세요.

07 2를 알아보고, 2인 것에 ○표 하세요.

08 관계있는 것을 선으로 이으세요.

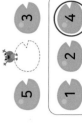

09 개수가 2인 것에 ○표 하세요.

10 같은 수를 선으로 이으세요.

11 □ 안의 그림 중 어울리지 않는 것을 하나에 X표 하세요.

12 10에서 출발하여 수를 순서대로 선으로 이으세요.

13 화살표에서 시작하여 10에서 5까지의 수를 순서대로 잇는 선을 그리세요.

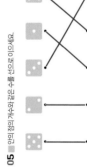

14 빈 곳에 알맞은 수에 ○표 하세요.

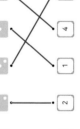

15 10에서 5까지의 수를 순서대로 잇는 선을 그리세요.

16 빈 곳에 알맞은 수에 ○표 하세요.

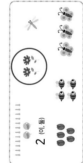

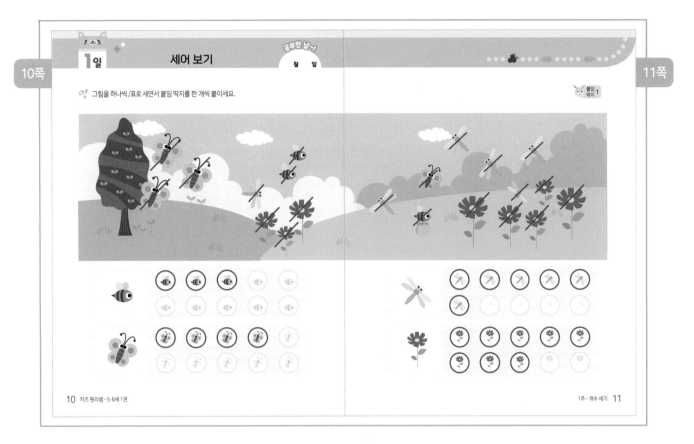

2일

○의 수만큼 연필 붙임 딱지를 붙이세요. 붙임 딱지 1

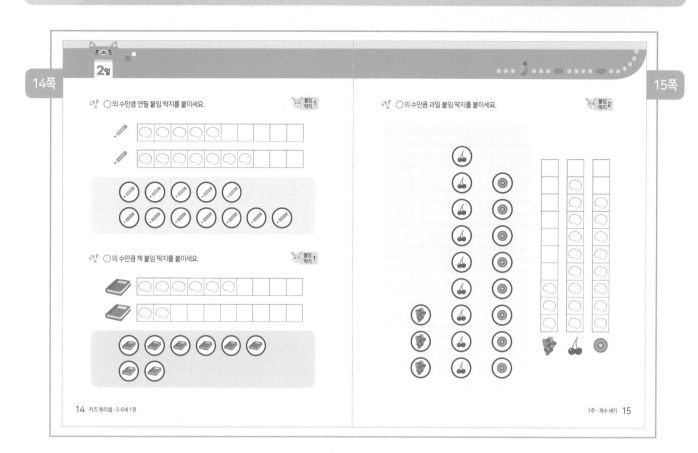

○의 수만큼 책 붙임 딱지를 붙이세요. 붙임 딱지 1

○의 수만큼 과일 붙임 딱지를 붙이세요. 붙임 딱지 2

3일 · **분류하여 세기** 공부한 날~! 월 일

옷을 3가지로 나누어 세어 □ 안에 ○표 하세요.

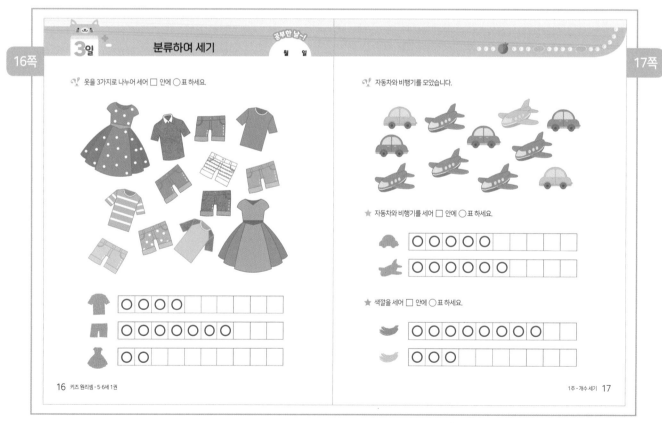

자동차와 비행기를 모았습니다.

★ 자동차와 비행기를 세어 □ 안에 ○표 하세요.

★ 색깔을 세어 □ 안에 ○표 하세요.

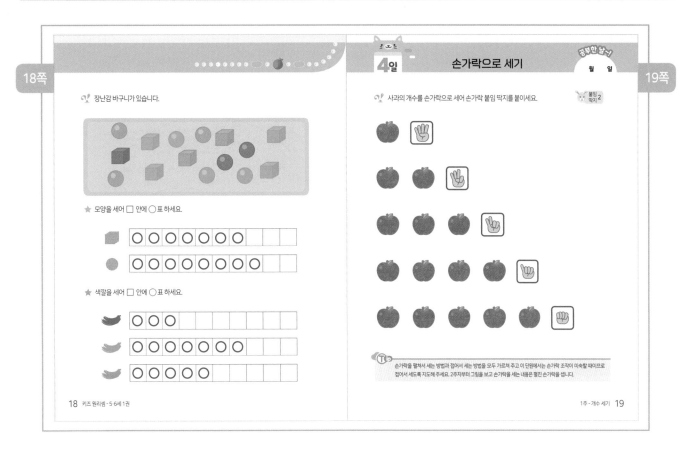

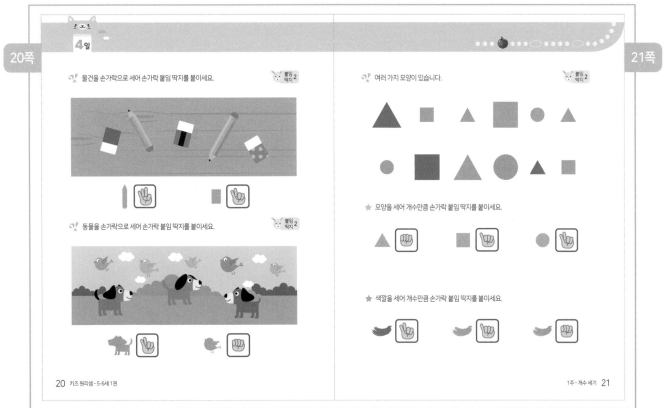

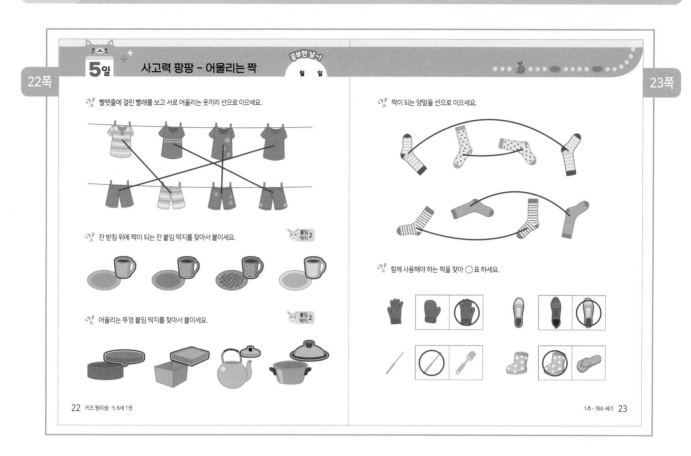

5일 사고력 팡팡 – 어울리는 짝

공부한 날~!
월   일

빨랫줄에 걸린 빨래를 보고 서로 어울리는 옷끼리 선으로 이으세요.

잔 받침 위에 짝이 되는 잔 붙임 딱지를 찾아서 붙이세요.

붙임
딱지 2

어울리는 뚜껑 붙임 딱지를 찾아서 붙이세요.

붙임
딱지 2

22 키즈 원리셈 – 5·6세 1권

짝이 되는 양말을 선으로 이으세요.

함께 사용해야 하는 짝을 찾아 ◯표 하세요.

1주 - 개수 세기   23

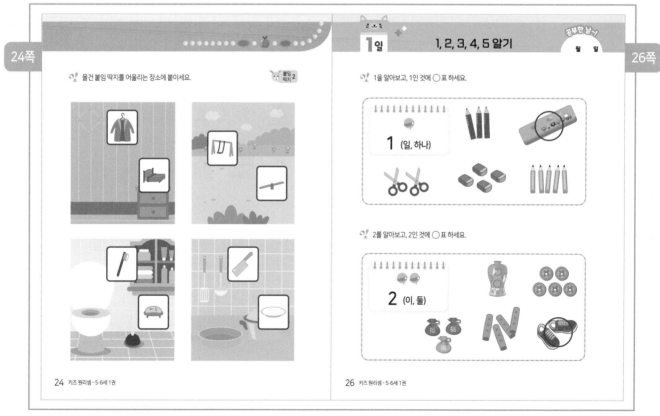

물건 붙임 딱지를 어울리는 장소에 붙이세요.

붙임
딱지 2

24 키즈 원리셈 – 5·6세 1권

1일 1, 2, 3, 4, 5 알기

공부한 날~!
월   일

1을 알아보고, 1인 것에 ◯표 하세요.

1 (일, 하나)

2를 알아보고, 2인 것에 ◯표 하세요.

2 (이, 둘)

26 키즈 원리셈 – 5·6세 1권

3을 알아보고, 3인 것에 ◯표 하세요.

3 (삼, 셋)

4를 알아보고, 4인 것에 ◯표 하세요.

4 (사, 넷)

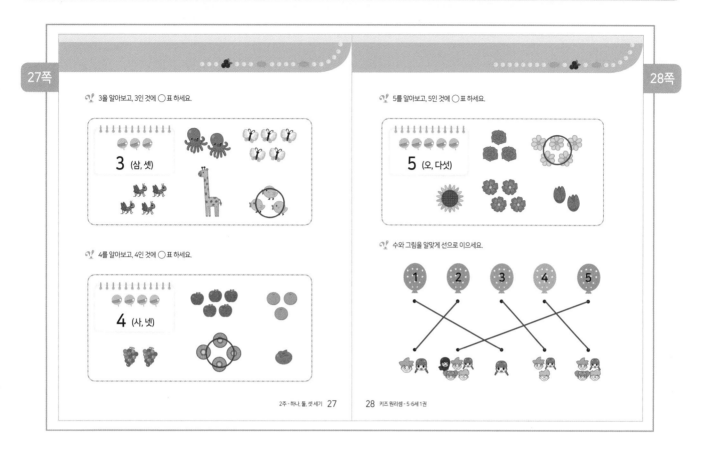

5를 알아보고, 5인 것에 ◯표 하세요.

5 (오, 다섯)

수와 그림을 알맞게 선으로 이으세요.

2일   하나, 둘, 셋

공부한 날 :

월   일

하나, 둘, 셋, 넷, 다섯으로 세면서 수만큼 붙임 딱지를 붙이세요.

붙임 딱지 3

1 하나

2 둘

3 셋

4 넷

5 다섯

2일

구슬을 하나, 둘, 셋, 넷, 다섯으로 세어 같은 수를 선으로 이으세요.

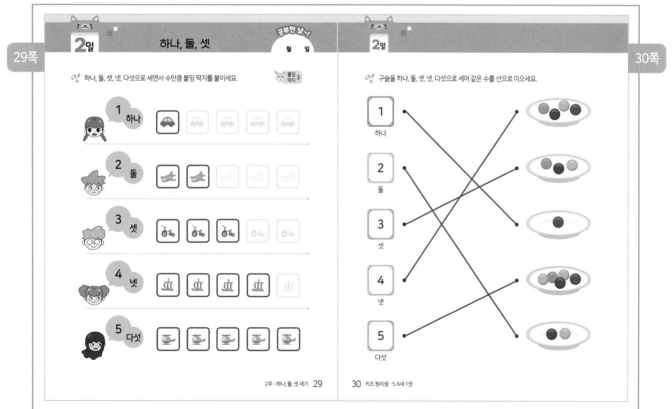

1 하나

2 둘

3 셋

4 넷

5 다섯

정답 5

과일을 하나, 둘, 셋, 넷, 다섯으로 세어 알맞은 수에 ◯표 하세요.

하나, 둘, 셋 익히기 1

동물을 하나, 둘, 셋, 넷, 다섯으로 세어 기차에 알맞은 붙임 딱지를 붙이세요.

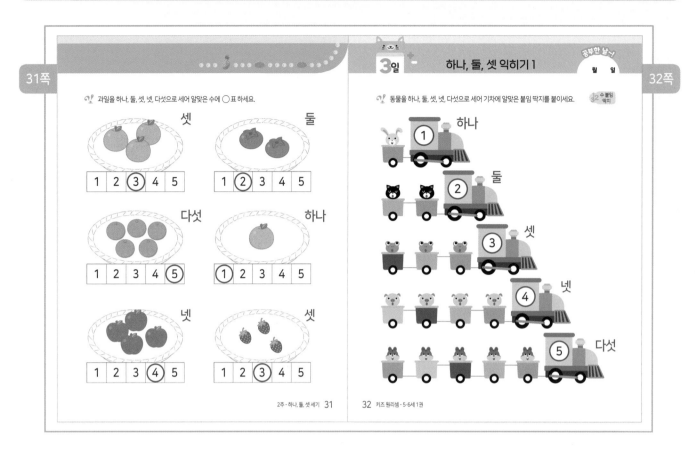

같은 수를 선으로 이으세요.

같은 수를 나타낸 그림에 ◯표 하세요.

책을 세어 수 붙임 딱지를 붙이세요.

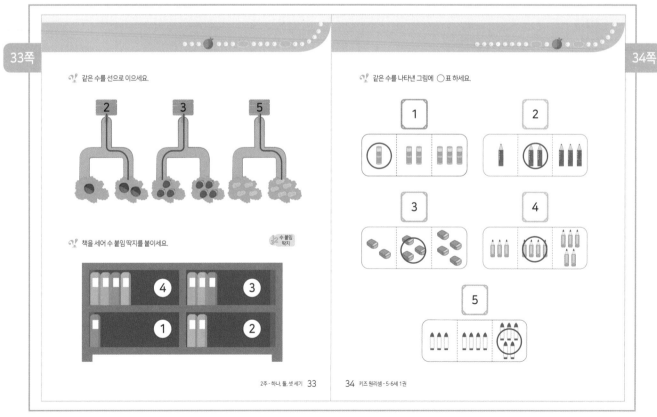

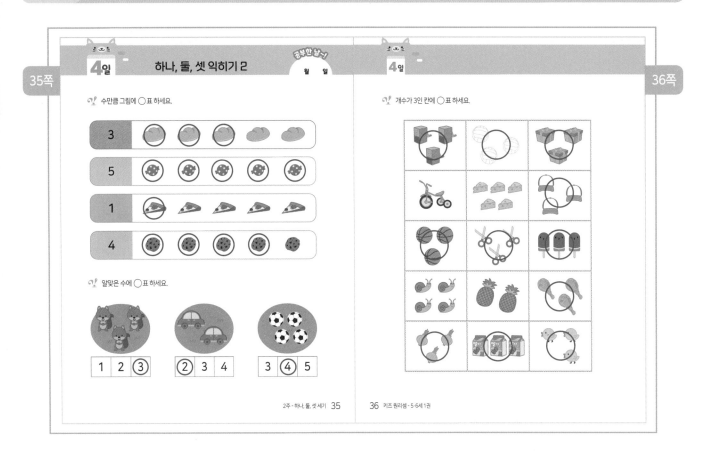

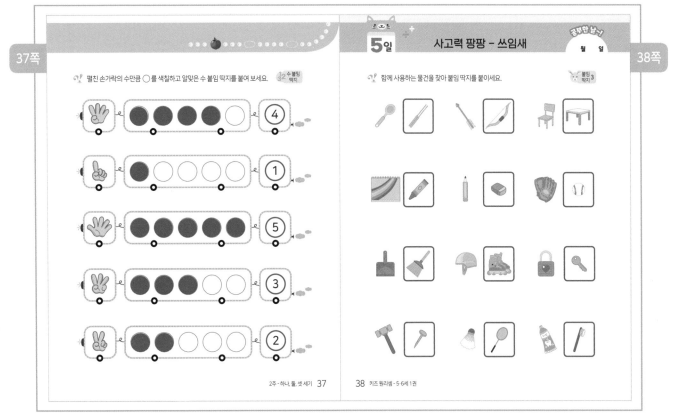

대신 사용할 수 있는 물건에 ◯표 하세요.

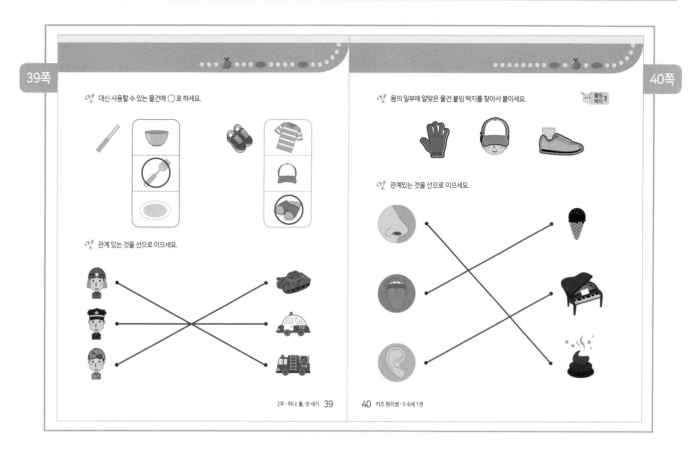

관계 있는 것을 선으로 이으세요.

2주 - 하나, 둘, 셋 세기 39

몸의 일부에 알맞은 물건 붙임 딱지를 찾아서 붙이세요.   붙임딱지 3

관계있는 것을 선으로 이으세요.

40 키즈 원리셈 - 5·6세 1권

1일   일, 이, 삼   공부한 날~! 월 일

일, 이, 삼, 사, 오로 세면서 수만큼 붙임 딱지를 붙이세요.   붙임딱지 3

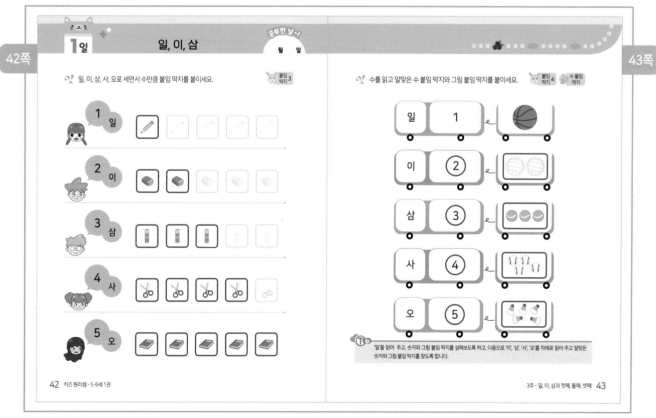

1 일
2 이
3 삼
4 사
5 오

42 키즈 원리셈 - 5·6세 1권

수를 읽고 알맞은 수 붙임 딱지와 그림 붙임 딱지를 붙이세요.   붙임딱지 4   수 붙임딱지

일	1
이	②
삼	③
사	④
오	⑤

Tip '일'을 읽어 주고, 숫자와 그림 붙임 딱지를 살펴보도록 하고, 다음으로 '이', '삼', '사', '오'를 차례로 읽어 주고 알맞은 숫자와 그림 붙임 딱지를 찾도록 합니다.

3주 - 일, 이, 삼과 첫째, 둘째, 셋째 43

엘리베이터 버튼에 알맞은 수 붙임 딱지를 붙이세요.

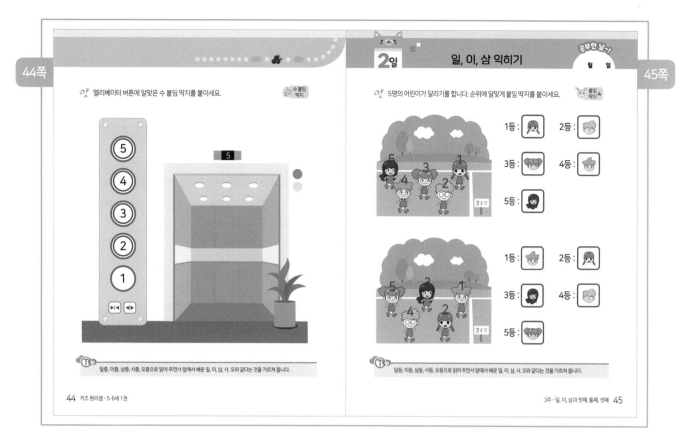

2일 일, 이, 삼 익히기

공부한 날~!
월   일

5명의 어린이가 달리기를 합니다. 순위에 알맞게 붙임 딱지를 붙이세요.

1등 :   2등 :
3등 :   4등 :
5등 :

1등 :   2등 :
3등 :   4등 :
5등 :

Tip 일층, 이층, 삼층, 사층, 오층으로 읽어 주면서 앞에서 배운 일, 이, 삼, 사, 오와 같다는 것을 가르쳐 줍니다.

Tip 일등, 이등, 삼등, 사등, 오등으로 읽어 주면서 앞에서 배운 일, 이, 삼, 사, 오와 같다는 것을 가르쳐 줍니다.

2일

구슬을 일, 이, 삼, 사, 오로 세어 알맞은 수에 ○표 하세요.

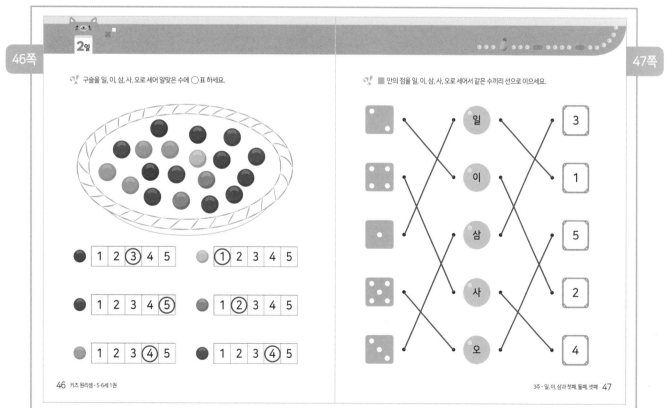

● 1 2 ③ 4 5   ○ ① 2 3 4 5

● 1 2 3 4 ⑤   ● 1 ② 3 4 5

● 1 2 3 ④ 5   ● 1 2 3 ④ 5

■ 안의 점을 일, 이, 삼, 사, 오로 세어 같은 수끼리 선으로 이으세요.

일   3
이   1
삼   5
사   2
오   4

정답 **9**

3일 첫째, 둘째, 셋째

공부한 날~! 월 일

순서대로 줄을 서 있을 때는 다음과 같이 말합니다.

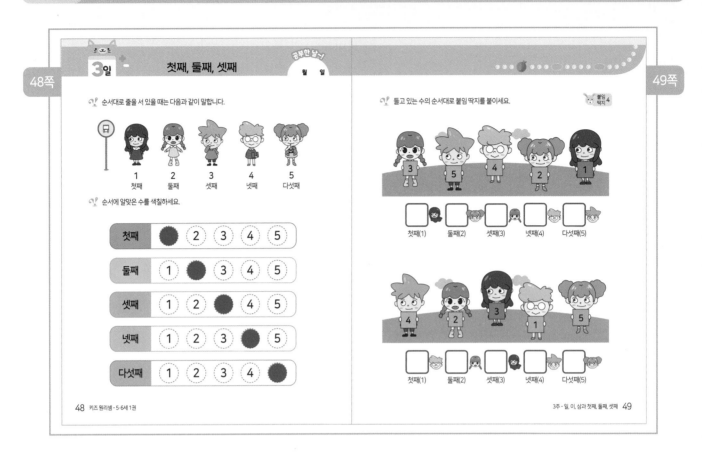

순서에 알맞은 수를 색칠하세요.

첫째	●	2	3	4	5
둘째	1	●	3	4	5
셋째	1	2	●	4	5
넷째	1	2	3	●	5
다섯째	1	2	3	4	●

들고 있는 수의 순서대로 붙임 딱지를 붙이세요.

첫째(1) 둘째(2) 셋째(3) 넷째(4) 다섯째(5)

첫째(1) 둘째(2) 셋째(3) 넷째(4) 다섯째(5)

화살표 방향으로 순서를 세어 색칠하세요.

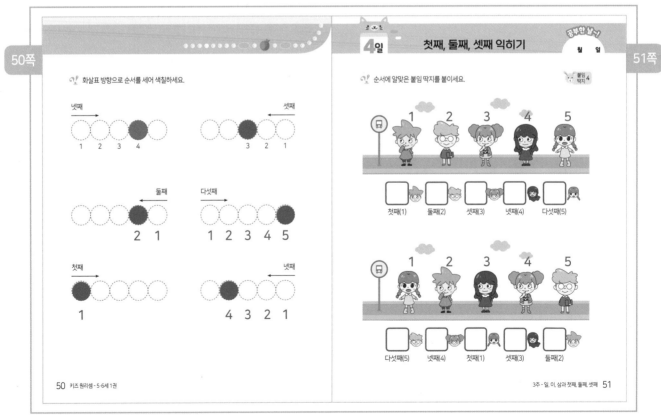

넷째
1 2 3 4

셋째
3 2 1

둘째
2 1

다섯째
1 2 3 4 5

첫째
1

넷째
4 3 2 1

4일 첫째, 둘째, 셋째 익히기

공부한 날~! 월 일

순서에 알맞은 붙임 딱지를 붙이세요.

첫째(1) 둘째(2) 셋째(3) 넷째(4) 다섯째(5)

다섯째(5) 넷째(4) 첫째(1) 셋째(3) 둘째(2)

4일

순서에 알맞은 수 붙임 딱지를 붙이세요.

수 붙임 딱지

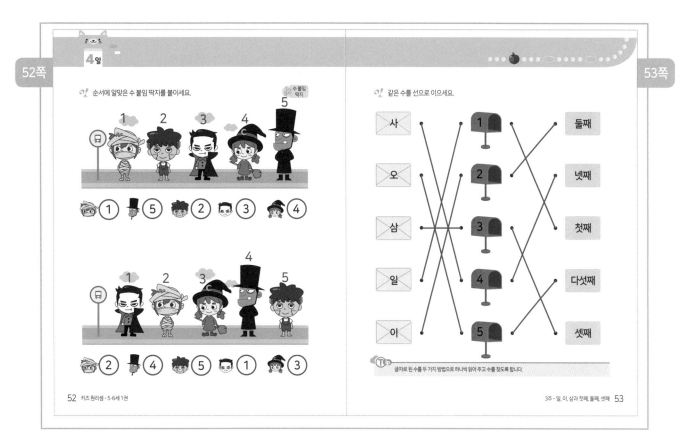

같은 수를 선으로 이으세요.

사	1	둘째
오	2	넷째
삼	3	첫째
일	4	다섯째
이	5	셋째

Tip 글자로 된 수를 두 가지 방법으로 하나씩 읽어 주고 수를 찾도록 합니다.

5일 　사고력 팡팡 – 공통점 공부한 날~! 월 일

공통점이 있는 것끼리 모았습니다. 공통점을 말해 보세요.

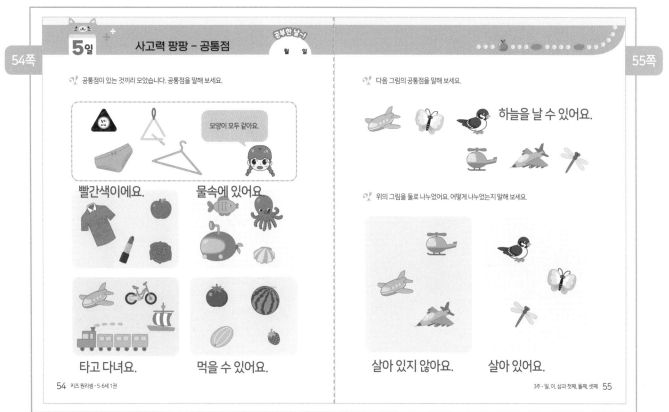

모양이 모두 같아요.

빨간색이에요.

물속에 있어요

타고 다녀요.

먹을 수 있어요.

다음 그림의 공통점을 말해 보세요.

하늘을 날 수 있어요.

위의 그림을 둘로 나누었어요. 어떻게 나누었는지 말해 보세요.

살아 있지 않아요.　살아 있어요.

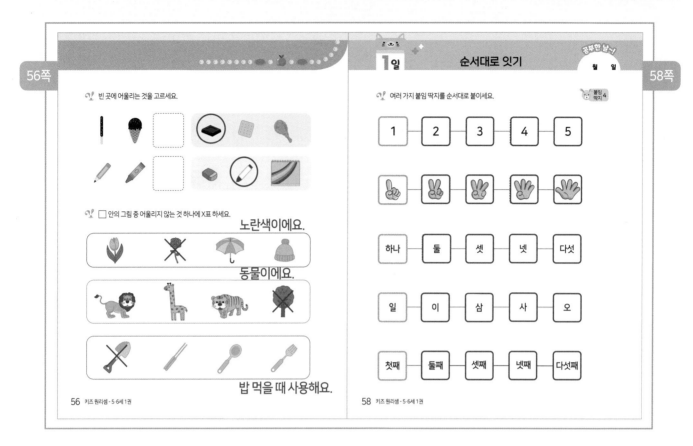

빈 곳에 어울리는 것을 고르세요.

□ 안의 그림 중 어울리지 않는 것 하나에 X표 하세요.

노란색이에요.

동물이에요.

밥 먹을 때 사용해요.

여러 가지 붙임 딱지를 순서대로 붙이세요. 붙임 딱지 4

| 1 | 2 | 3 | 4 | 5 |

| 하나 | 둘 | 셋 | 넷 | 다섯 |

| 일 | 이 | 삼 | 사 | 오 |

| 첫째 | 둘째 | 셋째 | 넷째 | 다섯째 |

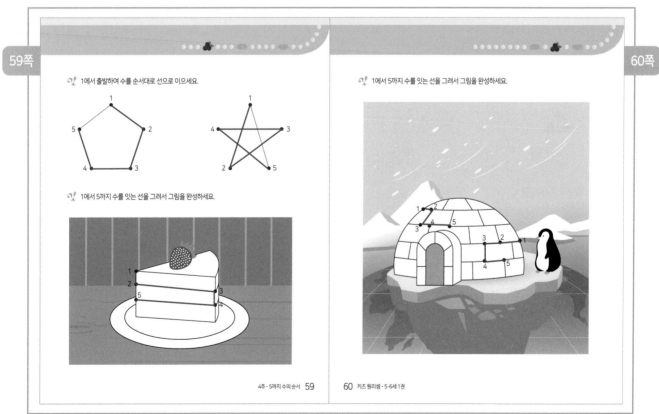

1에서 출발하여 수를 순서대로 선으로 이으세요.

1에서 5까지 수를 잇는 선을 그려서 그림을 완성하세요.

1에서 5까지 수를 잇는 선을 그려서 그림을 완성하세요.

2일 순서 퍼즐

공부한 날~! 월 일

화살표에서 시작하여 1에서 5까지의 수를 순서대로 잇는 선을 그리세요.

2일

화살표에서 시작하여 5에서 1까지의 수를 거꾸로 잇는 선을 그리세요.

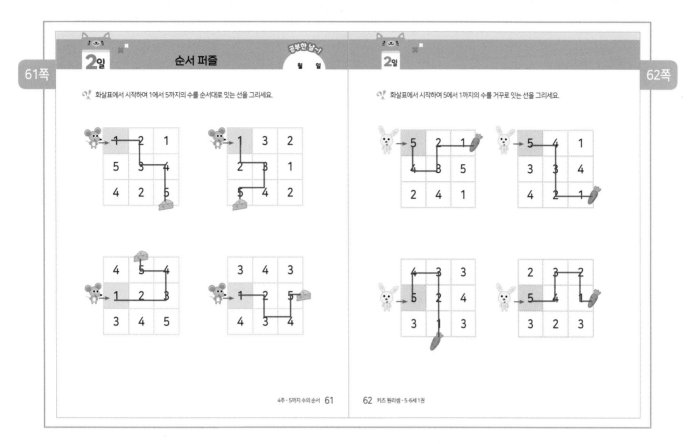

4주 - 5까지 수의 순서 61

62 키즈 원리셈 - 5·6세 1권

1에서 5까지의 수를 순서대로 잇는 선을 그리세요.

3일 사라진 수

공부한 날~! 월 일

빈 곳에 알맞은 수 붙임 딱지를 붙이세요.

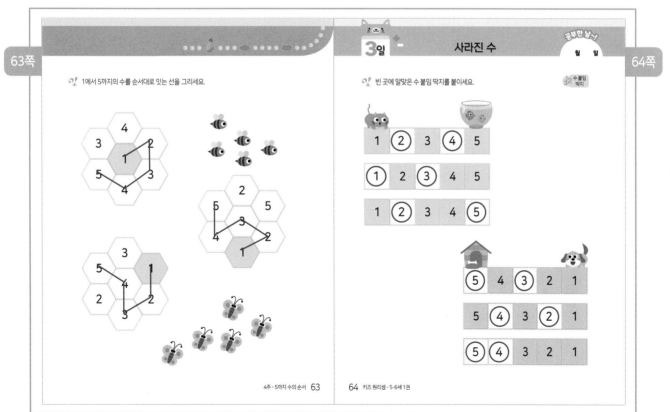

4주 - 5까지 수의 순서 63

64 키즈 원리셈 - 5·6세 1권

빈 곳에 알맞은 수 붙임 딱지를 붙이세요.

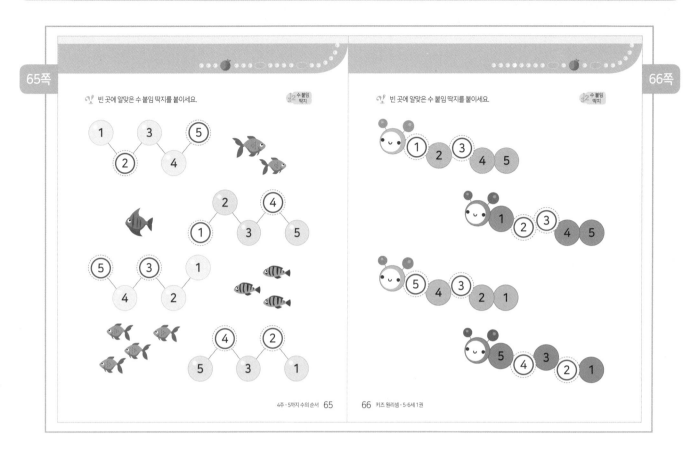

4일 다음 수, 사이 수, 이전 수 공부한 날짜 월   일

4일

빈 곳에 알맞은 수에 ○표 하세요.

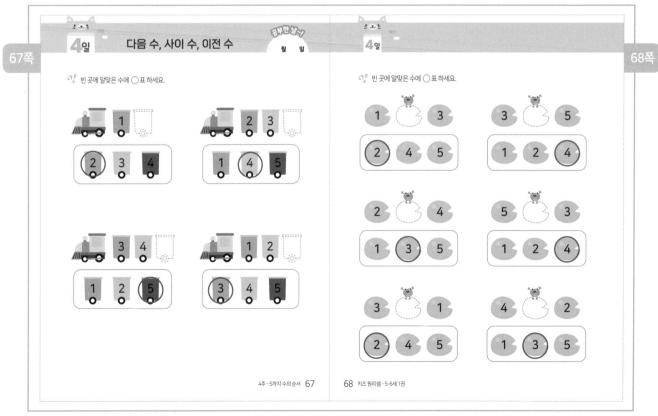

빈 곳에 알맞은 수에 ◯표 하세요.

5일 사고력 팡팡 - 이상한 그림 공부한날~! 월 일

두 그림의 다른 부분을 3개 찾아 ◯표 하세요.

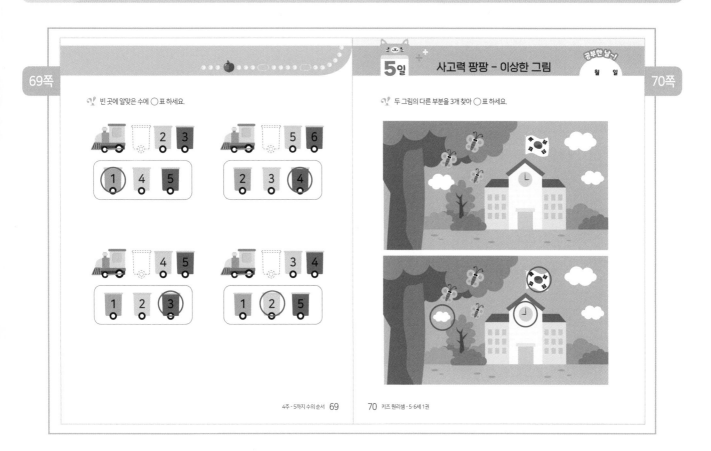

그림에서 이상한 부분을 말해 보세요.

그림자 방향 **풍선이 안 터짐** **기린의 목이 짧음**

그림에서 이상한 부분을 3군데 찾아 ◯표 하세요.

거울에 비친 화분의 방향

슬리퍼가 같은 짝

다리가 하나 없는 의자

왼쪽 그림에서 빠진 것을 찾아 선으로 이으세요.

키즈 수학 전문가가 만든 연산 교재

원리셈

세분화된
원리 학습

다양한
유형의 연습

충분한
연습

성취도
확인

그 많은 문제를 풀고도 몰랐던

초등 사고력 수학의 원리 1
초등 사고력 수학의 전략 2

● 초등 사고력 수학의 원리 1

원리는 수학의 시작

● 초등 사고력 수학의 전략 2

문제해결은 수학의 끝

✓ **진정한 수학 실력은** 원리의 이해와 문제 해결 전략에서 나온다.

✓ **수학의 시작과 끝을** 제대로 알고 수학 실력 올리자!

✓ **재미있게 읽을 수 있는** 17년 초등 사고력 수학의 노하우

천종현수학연구소의 교재 흐름도

| 4세 | 5세 | 6세 | 7세 | 초1 | |

유아 자신감 수학
유아 자신감 수학 만 3세 / 유아 자신감 수학 만 4세 / 유아 자신감 수학 만 5세

유아 자신감 수학 : 유아 수학 입문서
- 처음에는 엄마, 아빠와 함께, 나중에는 아이 스스로
- 개념의 이해부터 적용까지

원리셈 : 기본 연산 학습서
- 매일 10분씩 원리로부터 실력까지 연산의 완성!!
- 다양한 형태의 문제와 충분한 연습으로 쉽고 재미있게

키즈 원리셈 5, 6세 / 키즈 원리셈 6, 7세 / 키즈 원리셈 예비 초등 7, 8세 / 초등 원리셈 초등1

TOP사고력 : 사고력 수학의 으뜸
- 수학적 직관력 / 문제 이해력 기르기
- 영역별 나선형식 반복 학습 구조

탑사고력 K 단계 / 탑사고력 P 단계 / 탑사고력 A 단계

| 초2 | 초3 | 초4 | 초5 | 초6 |

초등 원리셈 초등2 / 초등 원리셈 초등3 / 초등 원리셈 초등4 / 초등 원리셈 초등5 / 초등 원리셈 초등6

탑사고력 A 단계 / 탑사고력 B 단계

TOP사고력 : 사고력 수학의 으뜸
- 수학적 직관력 / 문제 이해력 기르기
- 영역별 나선형식 반복 학습 구조

초등 사고력 수학의 원리 및 전략
- 원리의 이해와 문제 해결 전략을 통한 진정한 실력 향상
- 재미있게 읽을 수 있는 초등 사고력 수학의 노하우

초등사고력 수학의 원리 / 초등사고력 수학의 전략

1000math.com

천종현수학연구소 홈페이지

· 천종현수학연구소의 출간 교재 정보 및 각종 자료 공유

 cafe.naver.com/maths1000

천종현수학연구소 카페

· 다양한 수학 교육 정보 제공, 이벤트 참여
· 수학 학습에 도움이 되는 연구소 수학 프로젝트

 instagram.com/chonjonghyun

천종현 연구소장의 인스타그램

· 정기적으로 업데이트 되는 연구소 소식
· 연구소 진행 프로젝트/공동 구매 소개

 https://www.youtube.com/
user/thoubell

천종현수학연구소 유튜브

· 교재의 이해를 도와주는 가이드 영상
· 사고력 수학 전문가들의 수학 콘텐츠 영상

천종현수학연구소는

자녀의 수학 교육에 도움을 드리고자 **초등 사고력 수학**의 **다양한 주제별 동영상 강의**와 칼럼, 교육 **정보**들을 정기적으로 **제공**하고 있습니다. 네이버에 **천종현수학연구소**를 검색하시거나 **QR코드**로 **다양한 교육 정보**들을 만나 보세요.

세분화된
원리 학습

다양한
유형의 연습

충분한
연습

성취도
확인

⚠ 주 의   종이에 베이거나 책 모서리에 다치지 않게 주의하세요.

정가: 8,500원

품명 : 도서 | 발행처 : 천종현수학연구소 | 기획 : 천종현 | 집필 / 편집 : 천종현, 김동현, 김문수, 김형원, 백시연
디자인 / 삽화 : 오윤희, 나승희, 최재원 | 마케팅 : 김종열 | 발행일 : 2023년 2월 10일
전화 : 031-745-8675 | FAX : 031-755-8675

64410
ISBN 979-11-6012-291-6
ISBN 979-11-6012-290-9 (세트)
9 791160 122916

READING 16

중학 대비부터 수능 기초까지 16가지 필수독해 전략

LEVEL 1   LEVEL 2   LEVEL 3

리딩 16 시리즈

01 배경 지식을 넓힐 수 있는 다양한 소재의 유익한 지문 수록

02 내신·수능에 꼭 나오는 16가지 문제 유형 훈련 및 진단 평가

03 지문별 간결한 해설 및 명쾌한 직독직해와 상세한 구문 설명

www.cedubook.com

MP3 파일·어휘리스트·어휘테스트·어휘출제프로그램 다운로드

온라인 영어 전문교육 몰 book@ceduenglish.com

재개정판 24쇄

ISBN 978-89-6806-124-0

정가 12,000원

날개를 달아주기 보다
스스로 훨훨 나는 법을
깨닫도록!

CEDU
BOOK 쎄듀

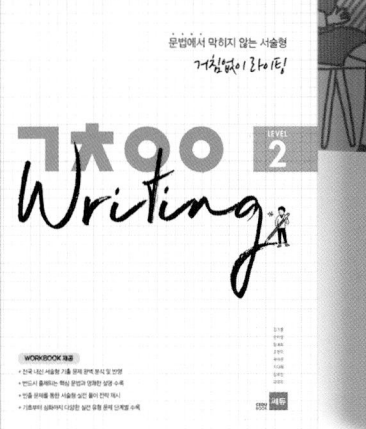

거침없이 Writing

거★○○ 라이팅

중등 내신 문법에서 막히지 않는 서술형 문제집

✻ 전국 내신 서술형 기출문제 완벽 분석 및 반영

✻ 반드시 출제되는 핵심 문법과 명쾌한 설명

✻ 기초부터 심화까지 빈출 문제를 통한 서술형 실전 풀이 전략

병행교재 안내 | 천일문 Grammar 시리즈

'거침없이 Writing LEVEL 1,2,3'은 쎄듀에서 출간된 '천일문 Grammar LEVEL 1,2,3' 과 학습 목차가 동일하여, 함께 병행 학습할 경우 문법과 서술형을 유기적으로 공부하여 더 큰 학습 효과를 볼 수 있습니다.

CEDU BOOK 쎄듀

1001개 예문으로 완성하는 중학 필수 영문법
천일문 GRAMMAR

1
천일문 시리즈로 이미 입증된
'문장을 통한 영어학습 효과'
천일문 GRAMMAR 시리즈에
모두 담았습니다!!

2
영어 문법의 기초는 물론
내신 문법까지 완벽 대비 가능!!
**전국 중등 내신 기출 문제
1만 6천여 개 완벽 분석!**

3
본책과 워크북이 끝이 아니다!
**학습의 완성을 돕는 막강한
부가서비스 무료 제공!**
*어휘리스트, 어휘테스트, 예문 해석 연습지,
예문 영작 연습지, MP3 파일

최고의 강사진이 제공하는 온라인 강의 안내   Mbest | 강남구청 인터넷수능방송

동급최강! Mbest 김기훈선생님의 저자 직강
· 하나를 알더라도 제대로 알기 위한 직관적인 설명
· 완벽한 개념이해를 돕기 위한 다양한 예시 제공
· 이해가 될 때까지 설명하는 끊임없는 개념복습
* QR코드를 인식하면 강좌 안내 페이지로 이동합니다.

EBS 중학 강사들이 알려주는 강남구청 인터넷강의
· 전국의 모든 학생들을 위한 쉬운 개념접근
· 학년별 최적화된 강사진 분배로 구멍 없는 학습 진행
· 한 번의 패스 구매로 3권 모두 학습 가능
* QR코드를 인식하면 강좌 안내 페이지로 이동합니다.

병행교재 안내 | 거침없이 Writing 시리즈
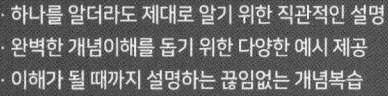
'천일문 Grammar LEVEL 1,2,3'은 쎄듀에서 출간된 '거침없이 Writing LEVEL 1,2,3'과 학습 목차가 동일하여,
함께 병행 학습할 경우 문법과 서술형을 유기적으로 공부하여 더 큰 학습 효과를 볼 수 있습니다.

CEDU BOOK 쎄듀

쎄듀 교재맵

(문법·어법·구문·독해·어휘)

구분	초 3-4 Lv. 1	초 5-6 Lv. 2	중등 Lv. 3	Lv. 4	Lv. 5	예비 고1 Lv. 6	고등 Lv. 7	Lv. 8	Lv. 9	Lv. 10
종합						쎄듀 종합영어				
구문	초등코치 천일문 Sentence 1, 2, 3, 4, 5			천일문 입문		천일문 기본 / 천일문 기본 문제집		천일문 핵심		천일문 완성
구문·독해							구문현답			
구문·어법						PLAN A 〈구문·어법〉				
구문·문법				천일문 기초1	천일문 기초2					
어휘	초등코치 천일문 Voca & Story 1,2		어휘끝 중학 필수편		어휘끝 중학 마스터편		어휘끝 고교기본			어휘끝 수능
어휘						첫단추 VOCA				
어휘						PLAN A 〈어휘〉				
문법	초등코치 천일문 Grammar 1, 2, 3		천일문 Grammar LEVEL 1	천일문 Grammar LEVEL 2	천일문 Grammar LEVEL 3					
문법		EGU 영문법 동사 써먹기	EGU 영문법 문법 써먹기		EGU 영문법 구문 써먹기					
문법			Grammar Q 1A / 1B	Grammar Q 2A / 2B	Grammar Q 3A / 3B					
문법				1센치 영문법		문법의 골든룰 101				
문법(내신)			Grammar Line LOCAL 1	Grammar Line LOCAL 2	Grammar Line LOCAL 3					
문법·어법			첫단추 BASIC 문법·어법편 1, 2			첫단추 모의고사 문법·어법편				
어법							어법끝 START 2.0 / 어법끝 START 실력다지기		어법끝 5.0	
어법·어휘								파워업 어법·어휘 모의고사		
쓰기			거침없이 Writing LEVEL 1	거침없이 Writing LEVEL 2	거침없이 Writing LEVEL 3					
쓰기			중학영어 쓰작 1	중학영어 쓰작 2	중학영어 쓰작 3					
독해			Reading Relay Starter 1, 2	Reading Relay Challenger 1, 2	Reading Relay Master 1, 2					
독해				리딩 플랫폼 1, 2, 3						
독해			Reading 16 LEVEL 1	Reading 16 LEVEL 2	Reading 16 LEVEL 3	PLAN A 〈독해〉		리딩 플레이어 개념	리딩 플레이어 적용	
독해				첫단추 BASIC 독해편 1, 2		첫단추 모의고사 독해유형편		유형즉답		
독해							빈칸백서 기본편			빈칸백서
독해										오답백서
독해								쎈쓰업 독해 모의고사		파워업 독해 모의고사
독해									수능실감 최우수 문항 400제	
듣기			쎄듀 빠르게 중학영어듣기 모의고사 1	쎄듀 빠르게 중학영어듣기 모의고사 2	쎄듀 빠르게 중학영어듣기 모의고사 3	첫단추 모의고사 듣기유형편		쎈쓰업 듣기 모의고사		파워업 듣기 모의고사
듣기						첫단추 모의고사 듣기실전편				
EBS									수능특강 내신탐구	
EBS									E정표 수능특강	
EBS										수능실감 독해 모의고사
EBS										수능실감 FINAL 봉투 모의고사

*어휘끝 5.0은 Lv. 9~12에 해당합니다. (고교 심화 이상의 수준)

* 교재 선택 시 권장 학년과 레벨을 참고하세요. / 예비 고1부터는 난도와 학년별 성취도를 반영하여 교재 레벨을 세분화하였습니다.

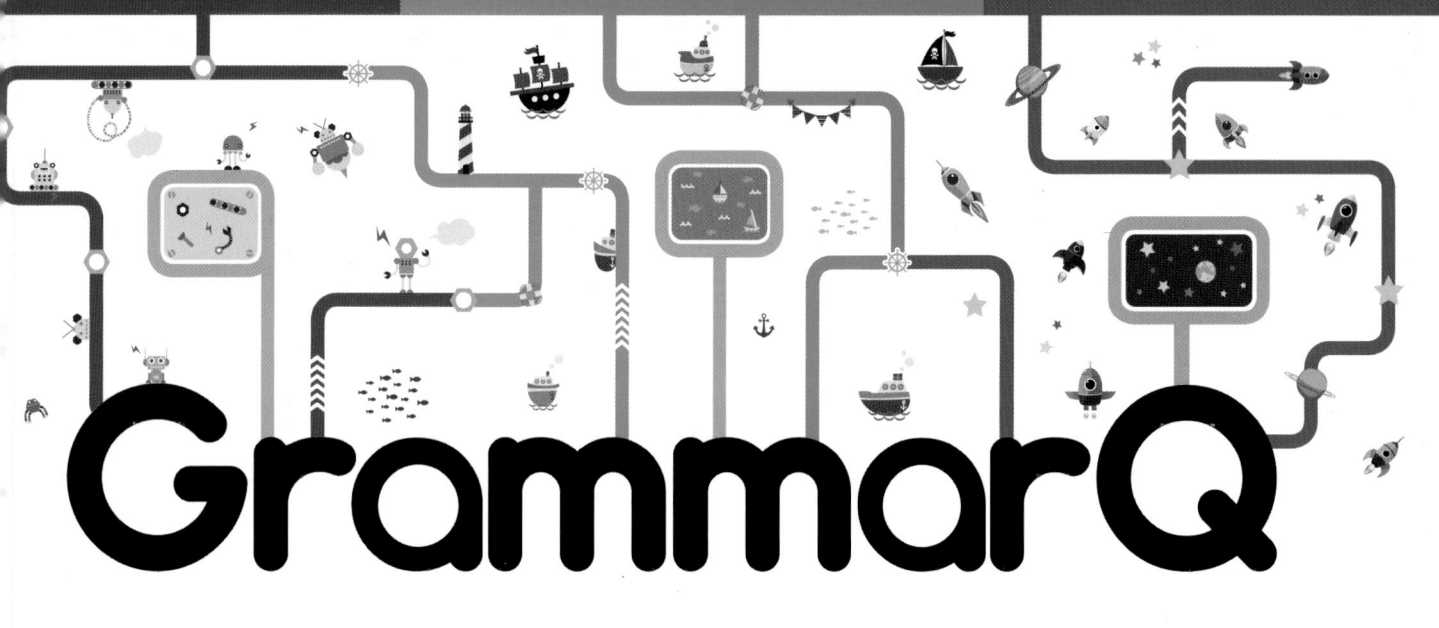